Анастасия Гольдак

Марк и его дракон страха

Иллюстрации Анастасии Сикилинды

Спасибо Гордону Ньюфелду за вдохновение

Смел не тот, кто не чувствует страха,
но тот, кто ему противостоит.
Нельсон Мандела

ГЛАВА 1,

в которой Марк обнаруживает бесполезность книг про борьбу со страхом.

— Я ничего не понимаю! Это все бесполезно! Бесполезно! — с досадой говорил Марк, сидя в своей комнате, заваленный горой книг.

В этот момент дверь приоткрылась, и в щели показалось взволнованное личико его младшей сестренки Насти.

— Марк! Что с тобой? Я первый раз вижу тебя таким расстроенным из-за книг! — сказала Настенька.

Марк тяжело вздохнул. Затем ответил:

— Во вторник у меня презентация проекта. Я должен буду выступить перед всем классом и показать изобретение, над которым я работал последние два месяца! Ты же знаешь, как я боюсь публичных выступлений!

Настя прекрасно знала, какое это сложное задание для Марка. Она встревоженно поднесла руку ко рту.

— И что же теперь будет? — спросила она.

— Миссис Джейкобс посоветовала мне взять в библиотеке книги о том, как побороть свой страх. Она сказала, что в них есть отличные советы. Но вот что я тебе скажу, Настя: они все бесполезны!

— Но почему? Ты всегда говорил, что в книгах можно найти ответ на любой вопрос! — удивилась девочка.

— Я прочел 28 книг! Я взял все, что только было в библиотеке на эту тему.

— Вау! — на лице Насти читались удивление и восторг.

— Все советы сводятся к тому, чтобы просто перестать бояться! Ты можешь себе это представить? — возмущенно продолжал Марк. — Вот, посмотри! — мальчишка начал разбирать свою кучу книг по одной и рассказывать об их содержании. — Здесь история о том, как кто-то боялся высоты, а потом взобрался на гору и понял, что это не страшно. И как это должно мне помочь с выступлением? — он возмущенно потряс руками.

Настя совершенно не знала, что ему ответить. Она просто слушала брата. Девочка почему-то чувствовала, что ему нужно выговориться, и не перебивала его.

Марк взял следующую книгу:

— А это сказка о том, как зайчик остался дома один. В его дверь кто-то постучал, и он в панике

бросился бежать из дому. Потом оказалось, что это его мама. Угадай, какая мораль книги?

Настя вопросительно глянула на брата.

Он воскликнул:

— Нечего было бояться! Как тебе такое? Настя, зачем они вообще такого малыша оставили дома одного? И это ведь действительно мог быть кто-то чужой, а не мама! Что они хотят сказать? Что нужно открывать дверь всем подряд?! Где здесь логика?! — сокрушался Марк.

В этот момент ему в руки попала еще одна книга, научного характера. Он начал наигранным профессорским голосом цитировать строки оттуда:

— «Поймите, что то, что вас пугает, — это лишь иллюзия. Этот страх — лишь образ в вашей голове, а значит, вы сами можете его развеять и создать другой образ». Как бы не так! — Марк сердито отложил книгу в сторону. — Если бы это было так просто! Я пробовал много раз, но каждый раз, когда я оказываюсь перед группой людей, я как будто немею, не могу произнести ни слова, а сердце предательски колотится так, будто сейчас выпрыгнет из груди!

Марк наконец закончил делиться тем, что его так беспокоило. Настя очень любила своего брата, она считала его самым умным и добрым мальчиком в мире. Ей так захотелось ему помочь! Как только она об этом подумала, ей в голову пришла отличная идея:

— Марк, а давай я познакомлю тебя с нашим новым учителем. Правда, он немного странный. Но знает все про чувства людей и их поведение. Представляешь, он легко угадывает, что у человека на уме, просто взглянув на него! — Дальше она перешла на таинственный шепот. Марку даже пришлось придвинуться к ней поближе, чтобы услышать, что она говорит: — А мой друг Билли вообще сказал, что этот мистер Харт умеет читать мысли!

Марк был заинтригован. Они тут же решили, что завтра после уроков отправятся к мистеру Харту.

ГЛАВА 2,

*в которой они с Настей попадают
в кабинет к загадочному учителю.*

Как только закончился последний урок, Марк
и Настя встретились в оговоренном месте и отправились в сторону кабинета нового учителя.

Когда дети нашли нужную дверь и постучали
в нее, они услышали приятный голос:

— Входите!

Настя с Марком осторожно зашли внутрь, неловко поздоровались и встали у стены, не зная,
с чего начать разговор. Настя решила представить
учителю своего брата:

— Это мой старший брат Марк. — Она запнулась. Затем добавила: — Он очень умный
и добрый.

Мистер Харт посмотрел на детей, улыбнулся и
сказал:

— Здравствуй, Марк. Ну, давай, спрашивай!
Какой вопрос тебя беспокоит?

Удивлению Марка не было предела!

— Но как вы догадались, что я пришел спросить
вас о чем-то? Я же ничего еще не сказал.

— А тебе и говорить не нужно. Иногда наше
лицо говорит за нас. Я вижу, что ты обеспокоен

чем-то и пришел ко мне в поисках ответа на какой-то важный для тебя вопрос. Давай вместе по-
думаем и посмотрим, к чему это приведет!

Марка очень воодушевили слова учителя, и он
поделился с ним своей проблемой:

— Мистер Харт, я должен научиться преодоле-
вать свой страх. Мне во вторник предстоит защищать проект, который для меня очень важен.
Я очень боюсь выступать перед людьми и чув-
ствую, что этот страх все испортит!

— Теперь мне все понятно, Марк. Я так понимаю, ты уже пытался решить этот вопрос раньше?

— Да! Сотню раз! Но никакие советы не работают. Мистер Харт, откровенно говоря, я зашел в тупик. И еще… Знаете, на уроке биологии учитель сказал нам, что в теле человека нет ни одного лишнего органа или клетки. Он сказал, что мы устроены очень мудро и со смыслом, точнее любого компьютера! Но… Как же тогда этот мой страх? Разве он не говорит о том, что я устроен неправильно? Он мне только мешает!

Мистер Харт ничего не ответил. Он подошел к окну, поднял жалюзи, и дети увидели, что это окно выглядит не так, как все остальные окна в школе. Кажется, оно было покрыто какой-то пленкой, которая создавала эффект прозрачного экрана.

ГЛАВА 3,

в которой мистер Харт показывает детям параллельную реальность.

— Когда ты в последний раз испытывал страх? — спросил Марка мистер Харт.

Марк задумался.

— В воскресенье! Когда мы с ребятами играли в парке, — довольно быстро вспомнил он.

Мистер Харт попросил рассказать подробнее.

— Мы взобрались на самую высокую стену. Потом все резко вздумали куда-то бежать, друг за дружкой соскочили на землю, а я хотел угнаться за ними, но... Побоялся прыгать. Я не смог, мне пришлось слезть пониже, чтобы прыгнуть, — сказал Марк немного подавленным голосом. Воспоминание было неприятным. — Я тогда плохо себя чувствовал, потому что отстал от всех и не мог понять, почему мне страшно, а им — нет.

Загадочный учитель кивнул головой. После этого он широким жестом провел пальцем по окну снизу-вверх, и перед ребятами появилось изображение.

Марк был ошеломлен! Перед ним был вид того самого парка, в котором он был в воскресенье, а на спортивной конструкции сидел сам ... Марк.

— Вау! — прокричали в один голос брат с сестрой. — Что это?!

— Это экран параллельной реальности. В нем мы можем увидеть события, которые могли бы произойти, если бы мы поступили иначе, — ответил мистер Харт так просто, будто он говорил о банках с маринованными огурцами.

Марк и Настя смотрели на экран, затаив дыхание. Мистер Харт предложил:

— Давайте посмотрим, что бы случилось, если бы ты не прислушался к своему страху и прыгнул вниз вслед за всеми.

Дети увидели в «окне», как Марк прыгает вниз, неудачно приземляется и больно-больно ударяется коленом. Пока Марк в параллельной реальности корчился от боли и потирал ушибленное место, дети с восторгом переводили взгляд с экрана на учителя, а потом друг на друга.

— Ну и ну! — ошеломленно проговорил Марк. Но как только удивление поутихло, его ум тут же взялся анализировать информацию. — Постойте, — сказал он, — я понял, что вы хотите сказать.

— И что же? — с интересом спросил мистер Харт.

— Что страх — нам не враг, он пытается о нас позаботиться и уберечь от беды. Но... Это совсем не поможет мне выступить с проектом перед классом! — Марк был заметно расстроен.

— Ты спросил меня, зачем нам нужен страх и не лишний ли он в человеке. Ты только что сам ответил на свой вопрос, с чем я тебя и поздравляю. А теперь давай разбираться, что же делать в ситуациях, когда страх мешает нам, а не помогает.

Марк воодушевленно кивнул головой.

— Значит, есть хороший страх и плохой страх — я правильно понимаю?

— Я бы сказал: «Страх, который помогает, и страх, который мешает», — ответил учитель. — Вы когда-нибудь катались на американских горках? — неожиданно спросил он с улыбкой и, не дожидаясь ответа детей, снова провел рукой по окну.

ГЛАВА 4,

в которой становится ясно, при чем здесь американские горки.

Перед детьми на этот раз появился парк аттракционов, где с восторгом на огромной скорости мчались дети на американских горках. Мистер Харт заговорил:

— На твой вопрос есть два ответа, Марк. Один связан с игрой и развлечениями, а второй — с нашими желаниями.

Дети были заинтригованы. Они приготовились слушать, что им расскажет мистер Харт.

На экране параллельной реальности появилась комната ужасов, в которой внезапно выпрыгивали привидения и пираты, а детишки-посетители визжали от страха и восторга. Учитель продолжил:

— Бывает, наш страх пытается уберечь нас от чего-то, но мы все равно это делаем. И даже получаем удовольствие от того, что нам немного страшно. С вами так было?

Дети задумались. Настя вспомнила, как она любит, когда Марк сочиняет истории-страшилки и как они вместе смеются, когда пугают друг друга. Марк ответил:

— Да, как раз на аттракционах со мной так и было. Есть пару жутких штук, на которых мне ох как страшно кататься!

— Но ты все равно катаешься на них, не так ли? — спросил учитель.

— Да! Но я ведь знаю, что это безопасно. Я же вижу, как много детей катается, и понимаю, что ничего со мной не случится. Это же просто развлечение! А когда я выступаю перед людьми, там нет никакой определенности, там все по-настоящему! — Марк все еще не видел, как это все может помочь ему сделать презентацию.

Тут Насте пришла в голову интересная мысль:

— А что, если ты будешь относиться к своему выступлению, как к игре? Помнишь, как мы делали сценку в театре? Когда я знаю, что играю, мне становится не так страшно! — фантазия Насти начала работать быстрее, чем она успевала проговорить это все: — Можно вообразить, что ты — не Марк, а посланник с другой планеты, который прилетел на Землю, чтобы поделиться знаниями! Или ты можешь представить, что перед тобой сидят на стульях коты и собаки, а не люди! — дети и учитель рассмеялись во весь голос.

Марк улыбался. Идея представить все игрой ему понравилась, но все же он не был до конца удовлетворен. Он чувствовал, что мистер Харт приготовил для него что-то еще, что-то очень полезное. И он был прав.

ГЛАВА 5,

в которой дети учатся побеждать дракона и взвешивают эмоции на весах.

— Настя, ты любишь истории про принцесс? — вдруг спросил девочку мистер Харт.

— Любит, еще как! — с улыбкой ответил за нее брат.

— А кто знает истории про принца, который сражался с драконом ради принцессы?

— Я! — сразу же выпалила Настя.

Это была одна из ее любимых историй.

— А как вы думаете, принцу страшно сражаться с драконом или весело? — мистер Харт продолжал задавать вопросы.

— Страшно, конечно! — сказали дети в один голос.

— Согласен, и я так думаю, — ответил учитель. — А что же ему помогает сражаться с драконом несмотря на страх?

Наконец-то Марк понял, что пытался ему сказать этот удивительный человек. У него прояснилось лицо, и он ответил:

— Желание спасти принцессу!

— Именно! — с радостью подтвердил мистер Харт. Он решил задать мальчику еще один вопрос: — А как ты думаешь, рыцарь всегда сможет сразиться с драконом ради принцессы?

Марк задумался.

— Наверное, нет. Но я не знаю, от чего это зависит, — честно признался он.

Мистер Харт подошел к своему столу, на котором стояли красивые гиревые весы. Откуда ни возьмись, в его руке появилась гиря в виде злобного огнедышащего дракона. Он поставил ее на одну чашу весов, и она сразу же опустилась. Он еще раз спросил у детей:

— Ну? Есть идеи?

— Да! Желание спасти принцессу должно быть сильнее, чем страх дракона! — практически выкрикнул Марк, настолько он был воодушевлен! Он теперь знал, что получил ответ на вопрос, который так долго не давал ему покоя.

В другой руке мистера Харта появилась гиря в виде прекрасной принцессы, которую он тут же поставил на противоположную чашу весов. С замиранием сердца все наблюдали, что же будет.

Сколько же радости было у детей, когда принцесса оказалась тяжелее, и дракон не просто поднялся выше, а взлетел к окну и исчез в волшебном экране.

Счастливые дети поблагодарили учителя. Им пора было идти домой. Мистер Харт пожелал Марку удачи, и на этом они распрощались. По дороге домой Марк думал обо всем случившемся. Он наконец-то знает, что ему поможет во вторник. И в то же время, он сомневался, пройдет ли все хорошо, потому что одно дело — понимать все в теории, и совсем другое — научиться делать это в жизни. Он еще не догадывался, что совсем скоро, буквально через несколько минут, жизнь предоставит ему возможность опробовать новые знания на практике.

ГЛАВА 6,

в которой у Марка появляется возможность применить новый способ взаимодействия со страхом.

Марк и Настя шли по знакомой дороге, которая вела со школы домой. Рядом с их домом была детская площадка, где они частенько делали остановку, чтобы поиграть и встретить своих друзей. В этот день на площадке был мальчик, с котором ни Настя с Марком, ни другие дети не любили играть. Он был высоким и сильным и почему-то любил обижать других детей. Особенно тех, кто был младше него.

Настя поставила свой портфель на скамейку и помчалась качаться на качели. Марк направился к спиральной горке — самой высокой на площадке. Чтобы по ней съехать, нужно было довольно долго подниматься по ступенькам. Когда он наконец прокатился и вынырнул из горки внизу, он увидел ужасную картину. Его сестренка Настя плакала, а рядом стоял тот самый драчун, которого они всегда остерегались. Оказалось, он увидел мишку, прикрепленного к Настиному портфелю, оторвал его крепление и забрал игрушку себе. Марк смотрел на этого мальчика, на Настю и понимал, что он просто обязан что-то сделать. Конечно, ему было страшно. Обидчик его сестренки был выше него как минимум на голову!

В другой день он, возможно, не осмелился бы пойти против своего страха, но сегодня все было иначе. Он мысленно представил свой страх в виде дракона на весах, а на другую чашу поставил игрушечного мишку и маленькую сестричку, которую он очень сильно хотел защитить. Каким бы большим ни был дракон, желание вернуть мишку сестре оказалось намного сильнее!

Марк прислушался к своему сердцу — оно снова выскакивало! Но в этот раз Марк не считал его

предателем. Он знал, что страх просто-напросто пытается позаботиться о нем и уберечь от неприятностей. Он сделал шаг вперед, встал прямо напротив задиры и сказал уверенным голосом:

— Немедленно верни мишку моей сестре! — сказав это, он замолчал и продолжал смотреть на мальчика взглядом, который не допускал возражений.

Он всеми силами пытался не показать свое удивление, когда увидел, что тот мальчик, которого все так боялись, молча бросил мишку в Настину сторону и ушел с площадки. Что-то во взгляде Марка заставило его это сделать.

Девочка схватила свою игрушку и подбежала к брату:

— Марк! Ты смог! Тебе это удалось! Ты видел, как ты с ним разобрался?! Ты совсем его не боялся!!! — восторгу Насти не было предела.

— Насть, а я ведь боялся, — изумленно сказал Марк. — Да, страх никуда не делся, он был со мной. Но в этот раз он меня не остановил. Я смог заговорить с этим парнем, несмотря на страх! Мне даже показалось, что моя тревога помогла мне как-то. Вау, теперь я знаю, как это работает! — лицо мальчика засияло от радости: — Да, теперь я точно знаю!

Впервые за последние два месяца Марк не думал с ужасом о дне, когда ему предстоит защищать свой проект. Наоборот, он ждал его с нетерпением...

ГЛАВА 7,

в которой наступил долгожданный вторник.

В тот самый день Марк стоял перед мисс Джейкобс и всем своим классом, держа в руках робота, которого сам разработал. Пришла его очередь представить всем то, над чем он трудился последние 8 недель. Этот экземпляр не выполнял обычных для роботов функций — он не умел пылесосить, не убирал дома и не наливал свежевыжатый сок из апельсинов. Но он делал кое-что другое, что Марк считал необычайно важным.

Мальчик прислушался к своему сердцу. Оно учащенно билось, напоминая, как сильно переживает за него. Марк мысленно поблагодарил свое сердце за беспокойство и напомнил себе о том, как для него важно поделиться своей работой со всеми друзьями. Он решил, что вариант, где он не осмелился показать всем, как работает робот, останется лишь в параллельной реальности. А в этой, настоящей, мальчик набрал побольше воздуха в легкие и заговорил:

— Дорогие друзья и коллеги! — обратился ко всем юный изобретатель. По правде говоря, он так вошел в роль инопланетянина, которую ему придумала Настя, что чуть было не сказал «дорогие земляне!». Он вовремя спохватился и продолжил: — Перед вами модель робота КМ2032, основная функция которого — поддерживать людей в сложных ситуациях. Он запрограммирован на более чем сто разных вариантов фраз, которые способны вселить человеку веру в себя и в то, что он со всем справится. Сейчас я предлагаю протестировать его перед вами. Кто из вас хочет стать первым?

Дети с интересом смотрели на робота, но никто не поднял руки. Тогда Марк принял решение:

— Значит, я буду первым!

Он включил робота и дождался, когда тот полностью загрузится. Марк прислушался к своим чувствам и искренне сказал о том, что было у него

на душе: «Мне так страшно провалить проект! Страшно, что что-то не сработает и все окажется напрасно».

У робота начали светиться разные лампочки, но ярче всех выделялась одна — фиолетового цвета в области сердца. Все завороженно ждали, что же будет дальше. Через несколько секунд робот заговорил:

— Ты вложил столько усилий, времени и фантазии в этот проект! Ты сделал все, что от тебя зависело, — и это самое главное. Что бы ни случилось, продолжай заниматься тем, что тебе интересно!

Класс зачарованно вслушивался в каждое слово. Многие дети улыбались, некоторые даже прослезились.

Вдруг одна из девочек неловко протянула вверх руку. Это была подруга Марка, ее звали Эмилия. Марк догадался, что она тоже хочет протестировать робота, и пригласил Эмилию подойти поближе.

Девочка встала рядом с роботом и сказала ему:

— Я боюсь, когда темно. И мне страшно оставаться одной в комнате.

Через мгновение дети увидели знакомый фиолетовый свет и услышали голос робота:

— Бояться темноты и одиночества — это нормально. Ты не одна. Говори о своем страхе с близкими — они тебя поймут и поддержат.

Эмилия улыбнулась.

Когда робот замолчал, Марк перевел взгляд на лица одноклассников и понял: оно того стоило. Они были в восторге!

Дети начали по очереди поднимать руки. Каждый хотел поделиться чем-то с роботом и услышать от него слова поддержки. Вокруг Марка и его изобретения начало собираться все больше заинтересованных ребят. И даже Миссис Джейкобс выразила желание пообщаться с этим чудесным роботом с большим сердцем.

Марк был по-настоящему счастлив. Ему захотелось поскорее побежать к мистеру Харту, обо всем ему рассказать и поблагодарить.

ГЛАВА 8,

в которой мистеру Харту даже не нужно
ничего рассказывать.

Когда Марк постучал в дверь учителя, он снова услышал приветливый голос: «Входите!»

Марк зашел в класс, но еще не успел ничего сказать, как мистер Харт проговорил с улыбкой:

— Я тебя поздравляю, дружок! Ты смог справиться со своим драконом! И это была блестящая презентация!

Марк хотел было спросить, откуда он это знает, но сразу же догадался, каким будет ответ. Он понял, что его лицо светилось от счастья и гордости.

— Я пришел сказать, что очень благодарен вам за помощь, мистер Харт! — сказал мальчик. — Благодаря вам я узнал, что не нужно ждать, когда уйдет страх. Я могу действовать, даже тогда, когда мне страшно! — Марк задумался на секунду, а затем добавил: — Наверное, это и есть настоящая смелость!

Он гордился собой и тем, как прошла презентация, но еще больше он гордился тем, что смог сделать это. Сделать то, что так пугало и тревожило. Он чувствовал себя рыцарем, сразившимся с драконом. Рыцарем, который победил.

Учитель смотрел на мальчика с улыбкой.

— Знаете, мистер Харт, — Марк вдруг кое-что осознал. — Раньше я больше всего на свете хотел, чтоб этот ужасный страх покинул меня и больше никогда не возвращался. А сейчас я думаю, что это уже не так и важно. Даже если я когда-то снова почувствую его, я уже знаю, как с ним справляться. Да! — Марк неожиданно рассмеялся. — Пусть приходит, так даже интереснее!

Сказав это, он попрощался с учителем и поспешил домой. Он помнил, что дома его ждала сестренка Настенька, которой не терпелось узнать, как все прошло в этот долгожданный вторник.

А у тебя есть страх, который мешает сделать что-то важное для тебя?

Прежде всего я хочу, чтобы ты знал: испытывать страх нормально. Это часть нашей человеческой природы.

А сейчас предлагаю поиграть с твоим страхом — поиграть с твоим Драконом!

Придумай смешную историю, которая поможет тебе справиться с этой эмоцией. Ты можешь записать здесь или нарисовать любые идеи, которые помогут превратить твой страх в что-то смешное:

....
....
....
....
....
....
....
....
....
....
....
....
....
....

....
....
....
....
....
....
....
....
....
....
....
....

А теперь ты можешь применить второй метод взаимодействия со страхом, который так сильно понравился Марку. Нарисуй весы.

Положи свой страх на одну чашу. Подумай о чём-то хорошем и приятном, что может случиться с тобой, если ты преодолеешь свой страх. Представь, что это уже случилось!

Как ты себя чувствуешь? Что ты чувствуешь?

Постарайся удержать эти ощущения на несколько секунд, а потом отпусти их.

Представь, что ты кладёшь это что-то приятное и важное для тебя на вторую чашу весов.

Она смогла перевесить чашу со страхом?

Если да, то у тебя всё получилось! Ты сможешь сделать это даже несмотря на страх!

Если нет, дай себе немного больше времени. Кто сказал, что нам всегда нужно действовать наперекор нашему страху? Иногда лучшим выбором может оказаться решение прислушаться в своей интуиции.

Только ты знаешь, что будет правильным для тебя. Прислушивайся к своим чувствам — они не подведут.

*Удачи тебе! И увидимся
в следующей книге про эмоции!*

CPSIA information can be obtained
at www.ICGtesting.com
Printed in the USA
LVHW051541290122
709584LV00012B/1673